Ti-Jean et le gros roi

Ces contes ont été tirés de:
TI-JEAN-JOUEUR-DE-TOURS, une version orale de monsieur Aldéric
Perreault, parue dans le tome premier de **Les Vieux m'ont conté,**
aux Éditions Bellarmin (1973)

LE ROI DUPÉ PAR TI-JEAN, une version orale de monsieur Alphonse
Brault, parue dans le tome second de **Les Vieux m'ont conté,** aux
Éditions Bellarmin (1974)

TOURS DE TI-JEAN AU ROI, une version orale de madame Louis
Prévost, parue dans le tome second de **Les Vieux m'ont conté,**
aux Éditions Bellarmin (1974)

Ces versions ont été recueillies par le folkloriste Germain
Lemieux, directeur du Centre franco-ontarien de folklore à
l'université de Sudbury.

Conception graphique de la couverture: Martin Dufour
Illustrations couverture et intérieur: Sue Wilkinson
Copyright © 1977 by Les Éditions Héritage Inc.
Tous droits réservés

Dépôts légaux: 4e trimestre 1977
Bibliothèque nationale du Québec
Bibliothèque nationale du Canada

ISBN: 0-7773-4409-2   Imprimé au Canada

LES ÉDITONS HÉRITAGE INC.
300, Arran, Saint-Lambert, Qué.
(514) 672-6710

Ti-Jean et le gros roi

Adaptation de

SERGE WILSON

Illustrations : Sue Wilkinson

ÉDITIONS HÉRITAGE
MONTRÉAL

La vache merveilleuse

Dans un pays qui n'est pas si loin d'ici, vivaient un roi ventru et balourd, et son voisin qu'on surnommait Ti-Jean-joueur-de-tours.

Ti-Jean était très pauvre et habitait une vieille cabane. Pourtant il disait souvent à sa femme:

"Avant longtemps, je te le promets, nous deviendrons aussi riches que ce gros roitelet!"

Un matin, Ti-Jean fit venir l'un de ses fils et lui demanda ce petit service:

"Va chez le roi pour lui emprunter son demi-minot! Quand il te demandera pourquoi j'en ai besoin, tu lui diras que je veux mesurer mon argent avec soin."

Le fils arriva au château vêtu de ses

guenilles rapiécées. Il salua la reine bien bas, avec son vieux chapeau troué, et s'adressa au roi:

"Rassurez-vous, sire le roi! Je ne viens pas vous demander la main de votre fille! ... C'est seulement mon père qui m'envoie pour vous emprunter votre demi-minot!

— Mon demi-minot? ... Diable! s'écria le roi. Ton père ne cultive et ne récolte pas, alors que veut-il faire avec mon demi-minot?

— Ce n'est pas pour mesurer de l'avoine ou des navets blancs que mon père en a besoin! répondit l'enfant. C'est pour mesurer de l'argent!

— De l'argent! De l'argent! cria la reine. Je te l'avais bien dit que ce Ti-Jean est plus riche que nous! Ça fait semblant d'être pauvre comme du sel, mais ça se couche dans l'or et les perles!"

Le garçon revint chez lui avec le demi-minot du roi. Ti-Jean garda le baril pendant quinze jours, puis, il demanda à son fils d'aller le reporter chez le roi.

Mais pour montrer que la mesure avait bien servi à évaluer sa fortune, Ti-Jean prit sa seule pièce d'argent, la trempa dans la mélasse et la fixa à l'intérieur du tonneau, contre la paroi de planches brunes.

"Maintenant, dit-il, va-t'en chez le roi! Et lorsque tu arriveras, secoue bien le baril en faisant tomber la pièce d'argent et en disant: "Merci, merci, sire mon roi!"

Le fils arriva de nouveau chez le roi et secoua son tonneau. "Merci merci!" et — Cling! — la pièce d'argent tomba sur le plancher ciré. À ce moment précis, la reine s'enragea:

"Je te l'avais bien dit que Ti-Jean est plus riche que toi!... Ces gens-là ont

tellement d'argent qu'ils en oublient un peu partout comme ça!

— Je commence à te croire . . . répondit le roi. Je retourne avec ce garçon jusque chez lui! Nous allons enfin savoir d'où leur vient tout cet argent sonnant!''

Le gros roi arrive en grognant jusqu'à la maison de Ti-Jean:

"Holà, paysan! C'est ton roi qui vient te parler! . . .

— Que désirez-vous, sire mon roi? demanda Ti-Jean en souriant.

— Je voudrais seulement savoir où tu prends tout ton argent.

— Ah! mais rien de plus simple, majesté! Si vous voulez me suivre jusque là-bas, dans ce pré . . ."

Le roi marcha derrière Ti-Jean et se trouva tout à coup devant une grosse vache sale, étalée dans un étang.

"Hé voilà, sire mon roi! lança Ti-Jean. Vous savez TOUT maintenant!

— Comment? . . . répliqua le roi. Tu ne vas pas me dire que ta fortune a quelque chose à voir avec cette grosse vache-là?

— Mais certainement! répondit Ti-Jean. Il n'y a qu'à tourner la queue de ce ruminant pour qu'il vous donne aussitôt son tonneau d'argent!

— C'est bon, j'achète ta merveille! répliqua le roi. Ce gracieux animal n'est pas fait pour l'étable d'un paysan; c'est une bête royale, un pur sang!

— Je voudrais bien vous la vendre . . . soupira Ti-Jean. Cependant songez à tout l'argent que je perdrais en vous la laissant . . . si vous la voulez vraiment, il faudra que vous y mettiez le prix fort! Je ne la céderai pas à moins de deux cent mille pièces d'or!

— Deux cent mille pièces d'or! répéta le roi. C'est entendu, le marché est conclu! . . . Je te fais tout de suite un papier qui te garantit ce montant, tu n'auras qu'à venir au château pour réclamer la somme, à moi, ou à mon intendant!"

Sur ces mots, le roi fit appeler ses valets et ils conduisirent la vache jusqu'au palais.

Quelques jours après, le roi décréta une fête au château, en vue d'éblouir tous les sires des terres voisines et des pays d'en-haut.

Il invita des lords, des empereurs et des reines pour venir admirer le nouveau phénomène: une vache qui donnait de l'or . . .

Dans la grande salle où il a réuni ses invités, le roi présente sa grosse vache toute lavée et parfumée. Il s'approche enfin d'elle et demande un silence solennel . . .

Et zoum! Et zoum! Il tourne la queue de la vache et c'est trois bouses sombres que la bête lâche sur le plancher.

On rit, on se tord, mais bientôt on se pince le nez . . .

"Mais comment? . . . Je ne comprends pas! s'écria le roi.

— Eh bien, moi j'ai tout compris! répliqua la reine en furie. Je comprends surtout pourquoi Ti-Jean était si content ce matin, en sortant de ton bureau les poches pleines d'argent! . . . Tu t'es fait rouler comme un gros ours! Ce n'est pas pour rien qu'on l'appelle Ti-Jean-joueur-de-tours!"

Le tuyau
de pipe

Ti-Jean et sa femme avaient été très pauvres et ils habitaient encore, avec leurs enfants, une vieille cabane. Cependant, Ti-Jean rusait, marchandait sans cesse, et il avait trompé le roi tellement de fois, qu'on prétendait qu'il commençait à s'enrichir à ses dépens . . . sans que cela paraisse.

La reine du palais avait mauvais caractère. Elle n'aimait guère Ti-Jean et grondait son mari sans arrêt.

"Espèce de gros lourdaud, tu ne vois pas que tu es la risée du voisinage? . . . que ce Ti-Jean te trompe éperdument?... que bientôt, il aura ta couronne et tout ton argent? . . .

Allez! Grouille-toi! J'exige que tu le chasses immédiatement! . . . J'en ai assez de lui dans les parages. Je veux qu'ils s'en aillent tous, qu'ils déménagent!

— Très bien! fit le roi. Je m'en vais donner une bonne leçon à ce Ti-Jean-là!"

Pendant que l'on discute encore au château voisin, Ti-Jean franchit en courant la porte de son jardin.

"J'arrive avec des nouvelles du château où j'ai surpris une conversation derrière un rideau ... La reine est folle de colère! ... Elle jure de nous chasser et elle envoie son mari pour nous l'annoncer! ... Eh bien, foi de Ti-Jean, c'est nous qui allons nous amuser! Nous allons jouer un bon tour à ces deux prétentieux! Voilà ce que nous allons faire, si tu veux ..."

Un peu plus tard, le roi arrive chez Ti-Jean pour lui parler. Il trouve le paysan étendu dans une brouette, à mâchonner un petit tuyau de pipe. Fort intrigué, le roi ne peut s'empêcher de questionner:

"Mais que fais-tu, avec ce bout de pipe entre les dents?

— Je me repose enfin! répond Ti-Jean. Ma femme m'a demandé de lui couper du bois, de lui porter son eau, de réparer le toit, de nettoyer les carreaux, et moi, depuis que j'ai trouvé mon tuyau magique, je l'envoie promener, c'est elle qui astique!

— Ah! . . . fait le roi intéressé."

Presque au même instant, la femme de Ti-Jean sort de la maison pour balayer le seuil.

"Comment, fainéant! . . . Tu n'as pas

27

coupé mon bois?... Et mon eau?... Et le toit? et les carreaux? As-tu pensé aussi à tous les autres travaux? Allez! grouille-toi, grand benêt, ou tu vas goûter au manche de mon balai!

— Retourne cuire tes tartes aux pommes, espèce de vieille bougonne! Tu crieras tant que tu voudras; je resterai comme je suis et je ne bougerai pas!"

Le roi, tout étonné, n'en croyait pas ses oreilles. Il se disait: "Pauvre Ti-Jean, elle va lui faire regretter d'avoir dit une chose pareille!..."

"Attends un peu que je te montre mon balai!" s'écrie la femme, folle de rage. Et au moment où elle vient pour le frapper, Ti-Jean lui souffle au visage.

Et flûte et flûte dans le tuyau de pipe!

la femme s'arrête sur place, elle devient aussi raide qu'une statue de glace.

Ti-Jean souffle à nouveau dans son vieux tuyau de faïence, et sa femme s'éveille en lui faisant une révérence.

"Ô mon Ti-Jean! pardonne-moi!... sache que je suis ta servante et que je ferai TOUT à présent!"

Le pauvre roi abasourdi n'en revient pas de voir la femme aux pieds de son mari.

Et comme la femme de Ti-Jean se retire pour couper le bois et puiser l'eau, le roi prend son voisin à part et le supplie aussitôt:

"Écoute, Ti-Jean, j'achète ton tuyau! Ton prix est le mien, c'est l'objet qu'il me faut!

— Holà! Pas si vite, messire le roi! répondit Ti-Jean. Venez vous asseoir à l'ombre, nous allons discuter ce marché, à tête reposée!"

Le soir, le roi retourne au château, avec dans sa poche le fameux tuyau. Il n'a pas mis les deux pieds dans la maison, que la reine se met à rugir comme un lion:

"Tu n'as pas vu l'heure qu'il est! Tant pis pour toi, tu te passeras de poulet! J'espère au moins, pour ta santé, que tu viens m'annoncer que ce Ti-Jean va s'en aller?...

— Eh bien non! ma femme. J'ai trouvé mieux à faire que d'importuner ces paysans et j'ai fini la journée en jouant aux cartes avec ce brave Ti-Jean!

— Et tu oses me dire ça sans broncher!

— Parfaitement vilaine mégère! Et tu vas aussitôt courir à la cuisine pour me préparer à souper!

— Répète un peu, pour voir!... Je vais t'en faire, moi, tout un souper!"

Et comme la reine s'approche l'air plus menaçant, le roi sort le tuyau de sa poche et souffle dedans.

"Qu'est-ce que c'est que ces manières?... Tu souffles au visage des gens, à présent! Tu vas m'arrêter ça, immédiatement!"

Et comme la reine s'avance encore, le roi souffle de nouveau, et deux fois plus fort.

"En voilà assez!" s'écrie la reine. Et elle se saisit du tuyau qu'elle lance par terre, et brise en mille morceaux.

"Mais je ne comprends pas! Je ne comprends pas!... réplique le roi. Ti-Jean n'avait qu'à souffler dans ce tuyau pour que sa femme devienne aussi douce qu'un agneau!...

— Eh bien, je vais éclairer ta lanterne, mon gros pachyderme! Ti-Jean t'a vendu un vieux tuyau trouvé, et tu t'es fait rouler comme le dernier des idiots. Tu vois cette belle pile de vaisselle, elle t'attend! Et quand tu auras fini les chaudrons, ce sera tous les planchers du château que je te ferai cirer!"

Plus tard, quand la reine apprit que c'était la propriété de la ferme voisine, que le roi avait cédée à Ti-Jean en échange du tuyau magique, c'est aux cheminées du château qu'elle dépêcha le roi, — y faire reluire jusqu'aux plus hautes briques.

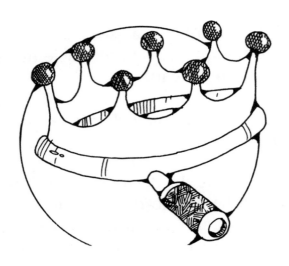

Mlle Bourrique

Ti-Jean et sa famille avaient été très pauvres, mais ils commençaient, disait-on, à s'enrichir et à prospérer, grâce aux mille tours et aux invraisemblables marchés que Ti-Jean arrivait à manigancer. Inutile de dire que la victime de tous ces tours de Ti-Jean, n'était autre que ce roi bedonnant, souverain des alentours.

À cause de tous ces tours joués par Ti-Jean, la reine, qui avait déjà mauvais caractère, s'était mise à le détester violemment.

À chaque jour, elle grondait son mari au sujet de leur voisin et elle ne manquait jamais l'occasion de lui rappeler ses méfaits:

"C'est lui! Je te le dis! C'est ce Ti-Jean qui nous prend tout notre argent, et toi, tu te laisses avoir comme une grosse poire!"

39

Pourtant, ce matin-là, ce n'était pas à propos de Ti-Jean que les deux époux royaux échangeaient des mots. Ils se disputaient au sujet de leur fils aîné, un grand niais, incapable de se débrouiller.

"Comment? fit la reine. C'est ce matin que tu m'annonces que notre fils n'a pas trouvé de cavalière! Qu'est-ce que tu penses qu'il aura l'air, ce soir à la fête, devant tous nos invités? . . . Je te donne la journée pour lui dénicher une compagnie! C'est compris? . . ."

"Ha! ha! se dit Ti-Jean. Le fils du roi n'a pas de demoiselle pour la soirée et c'est ce gros lourdaud de roi qui devra lui en trouver . . . Ha, ha, ha! je crois que cela me donne une idée! . . ."

En arrivant chez lui, Ti-Jean appela Monique, l'une de ses filles. Elle était assise devant la maison, en train de brosser Mlle Bourrique, la vieille jument de la famille.

"Hé! ma grande! s'écria Ti-Jean. Viens ici, j'ai quelque chose à te demander! . . . Toi, tu étais souvent en voyage et je crois que le roi ne connaît pas bien ton visage. Aussi, je pense que mon plan va très bien marcher . . ."

Peu après, le roi, qui cherchait une escorte à son nigaud de fils, vint à passer par là. Il aperçut aussitôt la belle Monique, tout endimanchée, et assise sur une bûche, à côté de Mlle Bourrique.

Il salua bien bas la demoiselle, et lui parla.

"Bonjour, belle demoiselle! Ne seriez-vous pas une parente de Ti-Jean? questionna le roi.

41

— Oui, je suis la nièce de Ti-Jean . . . répondit Monique en rougissant.

— Et vous êtes en visite chez votre oncle? continua le roi.

— C'est cela, monsieur . . . Ma mère me trouvant trop timide et désespérant que je fasse la connaissance d'un garçon, m'a confiée à mon oncle Ti-Jean, pour qu'il me présente aux jeunes gens du canton."

"Ha! ha! se dit le roi. Si cette belle est trop timide pour avoir un amoureux, elle est trop timide aussi pour refuser l'invitation d'un roi. C'est elle qui sera aux côtés de mon fils pour cette soirée de gala!..."

Puis, il s'adressa de nouveau à la jeune fille:

"Sachez, jeune demoiselle, que je suis le roi! Et le roi vous invite ce soir à accompagner son fils au banquet qui se donne au palais!

— Oh! Messire!... Vous me faites rougir... je ne sais quoi répondre! Il faudra demander la permission à mon oncle!..."

Ti-Jean arriva sur l'entrefaite, et le roi l'attira vers lui, pour lui parler en particulier:

"Écoute, Ti-Jean: j'ai décidé d'inviter ta nièce pour accompagner mon fils, ce soir au banquet!

— Eh bien soit! répondit Ti-Jean. Mais la fille est bien timide et elle n'a rien de bien beau à se mettre! Comme je la connais, elle va rougir sans arrêt!...

— Si ce n'est que cela!... reprit le roi. Rien de plus simple! Je la ferai prendre tantôt par mes valets qui la conduiront auprès des dames du château, et elle sera parée d'une manière féerique!

— Comme vous voudrez, Sire! Vos valets n'auront qu'à demander Mlle Bourrique."

À la fin de l'après-midi, les valets se présentèrent pour venir prendre Mlle Bourrique. Quelle ne fut pas leur surprise, quand ils se trouvèrent en face d'une jument couleur brique.

"Le roi vous a demandé de ramener Mlle Bourrique, eh bien la voilà! leur cria Ti-Jean. Faites ce que le roi vous a dit de faire, autrement il vous en coûtera!"

N'osant critiquer les ordres du roi, les

valets conduisirent la jument au palais.
Ils la confièrent aux servantes du château
et on astiqua la bête avec beaucoup de
patience. On la coiffa. On la parfuma.
On lui mit de beaux atours, une couronne à la crinière et des fleurs tout autour.

Pendant ce temps-là, le roi est accou-
ru chez la reine pour se vanter de ses ex-
ploits:

"Félicite-moi, ma femme! Je suis le
mari le plus fantastique. Je viens de
trouver une jolie compagnie à notre
garçon, et c'est une jeune fille magnifique!... Elle a seulement un drôle de
nom, elle s'appelle Mlle Bourrique!

— Drôle de nom en effet! reprit la
reine. Eh bien, moi, je me méfie! Je ne
serai pas tranquille tant que je n'aurai
pas vu cette fille!"

L'heure du banquet enfin sonna. Tous les invités furent annoncés avec grand éclat. Quand vint le tour du fils du roi, le maître de cérémonie hésita:

"Le fils du roi et sa monture! . . . euh . . . non! non! . . . et sa chevalière! . . . NON NON SA CAVALIÈRE!"

Et toute la salle, en apercevant la jument, s'esclaffe dans un rire bruyant.

La reine était tellement surprise par l'événement qu'elle se contenta de narguer le roi:

"C'est ce que tu appelles une fille magnifique? Eh bien, je me demande ce que tu veux dire, quand tu dis que je suis toujours belle? Voudrais-tu insinuer que je galope aussi vite qu'elle?... Et puis veux-tu que je te dise, moi je pense qu'il y a du Ti-Jean là-dedans!"

Le fouet magique

Ti-Jean et sa famille, les voisins du roi, avaient été très pauvres autrefois. Mais aujourd'hui personne ne se souvenait de cette époque-là, car on disait souvent dans le pays que ces gens-là s'en venaient aussi riches que le gros roi. Et plus ils devenaient prospères, grâce aux mille tours et aux cent coups que Ti-Jean jouait au roi, plus la reine criait, chialait, trépignait et devenait de mauvais caractère. C'est du moins ce que racontaient un peu partout les braves commères . . .

Un de ces matins où la reine, à peine éveillée, était déjà en colère, elle prit à partie son mari, bien décidée à lui dire ce qui lui tombait sur les nerfs.

"Écoute, moi je suis fatiguée de Ti-Jean et de toute sa marmaille. Hier encore, ses enfants jouaient dans mes rocailles. Tu vas leur dire de se tenir loin de mon jardin ou nous les faisons déguerpir, tous, dès demain. Tu m'entends, mon mari de roi, j'en ai plus qu'assez, moi, de ces vauriens de voisins! ..."

Ti-Jean, qui était justement posté dans les jardins du château, avait entrevu la reine et surpris tous ces propos. Aussi, il alla en toute hâte vers sa maison. Il saisit le fouet des chevaux en passant devant l'écurie et appela sa femme depuis la galerie:

"Hé! ma femme! Apporte vite ton rôti de croupe, nous allons jouer un bon tour à notre gros plein de soupe!"

La femme de Ti-Jean sortit aussitôt

son gros chaudron et le posa sur le plancher du perron. Ti-Jean prit alors sa longue cravache de lanières et fouetta de chaque côté de la marmite de fer.

Et FLIC! Et FLAC! Et FLIC! le couvercle du chaudron saute en une drôle de musique.

Et FLAC! Et FLIC! Et FLAC! les planches du balcon bougent, tremblent et craquent.

Le roi, qui rapplique sur l'entrefaite, ne peut s'empêcher de questionner, tout sceptique qu'il soit:

"Holà! Diable de Ti-Jean, que fais-tu à fouetter ton chaudron comme la plus rétive des juments?

— Mais je fais cuire mon rôti, Sire le

roi! Venez donc renifler la bonne odeur qu'il y a là!"

Le roi se pencha pour humer les vapeurs du chaudron et se lécha les babines avec ostentation.

"Tu n'as pas menti, diable de Ti-Jean! ... C'est le meilleur fumet de rôti que j'ai senti depuis fort longtemps! Hum! ... Je dirais même que ce mets, me met en appétit! Ha, ha, ha! Mais dis-moi encore ... parce que là vraiment je n'en reviens pas, ce serait avec ce vulgaire fouet que tu aurais fait chauffer ce repas?

— C'est bien avec ce fouet, Messire! Mais un fouet magique qui peut tout cuire! Quelques coups bien placés de chaque côté de la marmite, et voilà vos légumes bouillis, votre viande rôtie et vos truites bien frites! ...

— Et croyez-moi, Sire le roi! intervint la femme de Ti-Jean. Ce fouet-là fait tout son ouvrage en moins de temps que le mieux équipé des fourneaux! Cinq minutes, pas davantage, et encore pour les plus gros morceaux!

— Ma foi! s'écria le gros roi. J'en connais bien une à qui ce fouet plairait autant que si on lui offrait la lune ... Ti-Jean, vends-moi ce fouet! Je t'en donne trois bourses pleines de beaux écus d'argent sonnant!

— Votre offre est fort généreuse, Sire! Mais il faut que je m'explique ... je tiens cet objet d'un vilain lutin qui m'en a demandé, lui, trente bonnes vaches, et rien de moins! ... Alors, pour rentrer un peu dans mon argent, j'aimerais bien que vous ajoutiez encore mille pièces d'or à votre montant!

— Mille pièces d'or de plus! . . . Tu es dur en affaires, Ti-Jean! . . . Mais ça va, le marché est conclu!"

Comme le roi allait s'en retourner avec sa nouvelle acquisition, la femme de Ti-Jean l'interpelle du bout de son perron:

"J'oubliais, Majesté . . . pensez aussi à transmettre nos voeux à votre femme, Madame la reine. Vous la féliciterez pour son beau jardin, tous mes enfants m'en ont dit le plus grand bien! . . .

— Je n'y manquerai pas, Madame Ti-Jean! répondit le roi en souriant. D'autant plus qu'avec la bonne surprise que je m'apprête à lui faire, la reine sera d'une humeur extraordinaire . . . Et je serais vraiment le plus surpris des maris, si vous n'étiez pas les premiers invités à notre banquet de samedi. Ce sera l'occasion unique de célébrer ensemble les prodiges de ce fouet fantastique! . . ."

Lorsque le roi arriva enfin au château, la reine était à la cuisine en train de préparer un gâteau.

"Viens donc voir, ma reine, la belle merveille que je viens d'acquérir. Ce fouet que tu aperçois là peut faire bouillir, frire ou rôtir n'importe quoi bien plus vite que tous les fourneaux. Attends une minute, que je fasse lever ton gâteau!

— C'est ça! . . . Nous allons prendre un fouet maintenant pour chauffer les chaudrons! . . . J'aurai bien tout vu avec ce mari aussi crédule qu'un dindon . . . Mais attention . . . tu sais que je me méfie de toutes ces sornettes! Gare à toi, malotru, s'il t'arrivait de gâcher ma recette!

— Laisse, laisse! s'écria le roi. Ce gâteau, je le ferai lever en moins de trois, sans ouvrir ton fourneau ni charrier le moindre bout de bois! Attention! Je pose le bol sur le plancher, tu vas voir dans deux minutes ton beau gâteau doré!"

Berdigne! Berdagne! Le roi frappe par terre comme un véritable déchaîné. Il accroche au passage les étagères du vaisselier et renverse les beaux bibelots d'Espagne . . .

Il a beau frapper pour en faire trembler jusqu'au toit, le roi constate, dépité, que le plat est toujours froid.

"Voyons, voyons! . . . Vraiment, je ne comprends pas! J'ai beau fouetter de toutes mes forces, je sens que ça ne chauffe pas . . .

— Ça ne chauffe pas, hein? s'écria la reine en explosant, et elle lui arracha le fouet des mains au même instant. Encore un beau tour de Ti-Jean si je comprends? . . . Tu t'es fait encore avoir comme un garnement! . . . Je vais te

montrer, moi, comment ce fouet va agir!
Tu vas même comprendre tout ce qu'il
peut t'en cuire . . . et ce sont plutôt tes
fesses qui vont roussir! . . ."

Là-dessus, la reine en furie applique
une bonne raclée sur le derrière de son
gros mari.

L'acheteur de poils de queue de vaches

Un autre de ces jours où la reine était de mauvais poil, il y avait grand bruit dans le salon du château royal.

"Qu'est-ce que tu attends, gros nigaud, pour te rendre à l'évidence?... clamait la reine aux oreilles du roi. Ne vois-tu pas que nous sommes la risée de toutes nos connaissances? Tu ne comprends pas encore que nos misérables voisins s'enrichissent à notre barbe et à notre nez, grâce à tous ces tours pendables que Ti-Jean n'a jamais fini d'inventer?... Et toi, bien sûr, tu ne trouves rien d'autre à faire que de te laisser berner de la plus belle manière."

Et comme la reine passait devant la fenêtre pour apostropher son mari, elle aperçoit justement Ti-Jean, passant sur le grand chemin en face de sa galerie.

"Non mais, regarde-moi ce fainéant qui trouve encore le moyen de nous narguer!... Oh quoi?... Il sort de sa poche une bourse et se met à compter!... Et de l'argent, en quantité!... Tiens! Tiens!... On dirait que Ti-Jean vient de faire un autre de ses tours de passe-passe, sans que nous soyons cette fois les dindons de la farce... Allons, mon mari! Au lieu de rester là planté comme un sapin, pourquoi n'irais-tu pas le questionner, mine de rien?... J'aimerais bien savoir, moi, comment notre homme est venu à bout d'une telle somme! Nous ne sommes pas moins finauds que ce vaurien, il est grand temps que nous l'attaquions sur son propre terrain. Ce que

Ti-Jean a pu manigancer, nous pouvons nous aussi le réaliser!"

Le roi sort aussitôt à la rencontre de Ti-Jean et fait semblant d'être venu voir voler les petits oiseaux.

"Beau temps!... n'est-ce pas, Ti-Jean? Tu n'as pas l'air trop en peine, aurais-tu quelque bonne nouvelle à nous apprendre par tous ces temps qui viennent?...

— Sire, je viens de réaliser le plus beau marché qu'il y a fort longtemps j'ai pu effectuer. Depuis que je compte toutes ces pièces d'or, je ne suis pas encore arrivé à chiffrer le montant de mon trésor!

— Tu m'intrigues, Ti-Jean!... je ne voudrais pas avoir l'air de quelqu'un qui vient piétiner dans ton parterre, mais je me demande bien où tu as pu régler une pareille affaire? . . .

— C'est simple, Votre Majesté, répondit Ti-Jean, je viens de vendre ma meilleure vache et le plus beau de mes boeufs à un acheteur étranger qui m'en a donné une pièce d'or pour chacun des poils pendant au bout de leur queue.

— Une pièce d'or par poil du bout de la queue! . . . Mais, c'est tout simplement fabuleux! Il y a là plus de poils rassemblés que beaucoup d'entre nous pourraient jamais en compter! . . .

— Ça c'est vrai, Sire, parce que je suis déjà rendu à deux mille pièces et je n'ai pas fini de compter tout ce lot qui me reste!

— Mais, dis-moi, je suis curieux . . .

Qui peut bien être ce marchand mystérieux qui est prêt à payer un tel prix
pour des vaches et des boeufs?

— Cet homme curieux, Majesté, est
l'émissaire particulier du prince d'un
royaume lointain. Il est venu dans le
pays pour acheter les meilleures bêtes
qui soient, afin de garnir les troupeaux
de son roi. Il ne désire acquérir que les
plus beaux sujets... Tiens, des bêtes
comme celles de vos étables lui plai-
raient, j'en suis sûr! Et quand cet homme
désire quelque chose, on peut dire qu'il y
met le paquet!

— Et tu m'as bien dit que cet acheteur
étranger est prêt à verser la somme in-
sensée d'une pièce d'or par poil du bout
de la queue, pour chaque tête de bétail
qui conviendrait à son roi capricieux?...

— Absolument, Sire! . . . Et depuis ces jours derniers, il passe chaque matin près de l'enclos abandonné à l'orée du bois de pins. Il y rencontre les éleveurs qui seraient venus l'attendre, et c'est là, sur le terrain, qu'avec eux il marchande. Il offre une pièce d'or du poil du bout de la queue, et dans des cas rares il va même jusqu'à deux. En un tournemain, il a compté tous les crins, a payé comptant le montant de votre gain et vous a serré la main. C'est pas malin, avec lui tout est fait en criant lapin!"

Sur ce, le roi tout excité prend congé de Ti-Jean. Il se dépêche de retourner au château pour aller tout rapporter de l'histoire de l'acheteur de bestiaux. Ti-Jean, lui, le regarde s'éloigner en ricanant: "Oh! qu'il a mordu à l'hameçon, le voilà ferré comme un gros poisson!"

Arrivé chez lui, le roi se met à raconter tout ce qui vient de lui être révélé.

"Écoute, ma femme, je viens de lui tirer les vers du nez! . . . Cette fois, notre beau finfin de voisin, c'est nous qui allons pouvoir enfin l'entourlouper! . . ."

La reine écoute avec enchantement la suite du récit de l'acheteur mystérieux. À la fin, elle conclut énergiquement:

". . . C'est nous-mêmes qui allons conduire nos meilleures bêtes auprès de l'acheteur mystérieux . . . Il n'est pas question d'ébruiter la nouvelle chez les gens du château, pour risquer de se faire voler la plus belle part du gâteau! . . . Nous partirons ce soir en cachette et nous dormirons là-bas à la bonne franquette. Ainsi, demain nous serons les premiers pour pouvoir marchander avec cet acheteur étranger!"

Pendant ce temps, chez lui, Ti-Jean réunit sa maisonnée.

"J'aurai besoin de vous tous, ce soir!... dit-il à la famille rassemblée. Faudra que vous me ramassiez tout ce que vous pourrez trouver en fait de ciseaux, de rasoirs et d'objets à couper. Cette nuit, mes enfants, nous allons jouer les barbiers!..."

À la tombée du jour, le roi et la reine réunissent leurs meilleurs bestiaux. Ils prennent le grand chemin et se dirigent vers l'enclos abandonné près de la forêt de pins. Rendus à l'emplacement, ils font entrer le troupeau dans l'enclos et reviennent ensuite près du chemin où ils s'endorment d'épuisement.

La nuit, la famille de Ti-Jean se faufile près de l'enclos sans faire de bruit. Dans la noirceur pourtant, on peut entendre de légers bruissements... Et tout à coup, CLIC! CLIC! comme des coups de ciseaux ... et TRAC! TRAC! comme des lames de rasoirs qui grattent ... La reine dans son sommeil croit distinguer de vagues bruits de ciseaux, mais dans sa torpeur elle pense plutôt qu'elle rêve au salon de son coiffeur Angelo.

Le lendemain matin, VLAN! Ti-Jean apparaît déguisé en marchand et accompagné de deux de ses fils affublés en valets. Il réveille en sursaut les deux époux endormis, accroupis à côté du ruisseau.

"C'est bien à vous, ce troupeau, là-bas dans l'enclos. Je vous en offre trois pièces d'or par poil du bout de la queue. Ceci est mon premier et mon dernier prix, vous dites non ou vous dites oui!...

— Euh . . . oui . . . bredouille le roi en se relevant.

— OUI! OUI! Monsieur le marchand... s'écrie la reine avec plus d'empressement.

— Très bien . . . fit Ti-Jean travesti en marchand. Suivez-moi, nous allons compter les poils de bout de queue avant que mes valets n'amènent les bêtes avec eux!"

Et lorsqu'ils sont tous arrivés à l'enclos, quel n'est pas l'air hébété des époux royaux quand ils aperçoivent les queues des animaux et entendent clamer bien haut:

"Ha! ha! Quelle aubaine, je m'empare gratis de tout le troupeau! Ma foi! Ces bêtes ont la queue aussi lisse que des becs d'oiseaux!"

76

La reine qui voit qu'on l'a bernée trépigne de rage. Elle piétine et glapit: "Voleur! Bandit! Commerçant de bas étage!"

Et quand le roi regarde s'éloigner les cavaliers, il se garde bien de dire à sa femme qu'il reconnaît enfin la monture du marchand et qu'il s'agit — naturellement — de la jument de Ti-Jean.

Le crache-l'or

Un de ces matins qu'il se promenait dans la forêt avec le plus jeune de ses fils, Amable, Ti-Jean-joueur-de-tours découvre un gros nid de guêpes attaché à la branche d'un arbre.

Ti-Jean, qui avait pris l'habitude de rouler son voisin le roi et qui s'était fait ainsi un vrai petit trésor, vit dans ce nid matière à s'enrichir une autre fois encore.

"Écoute bien mon plan, garnement!... dit-il à son fils de dix ans. Je pense qu'avec ce nid de guêpes, nous allons pouvoir leurrer notre voisin de roi plus vertement peut-être que jamais de sa vie il n'a pu l'être! Demain au village, c'est jour de marché; je crois que nous allons bien nous amuser!..."

Ti-Jean et son fils Amable sectionnent délicatement la branche et retirent le nid de l'arbre. Le soir à la maison, la mère range avec beaucoup de précaution l'objet dans un vieux panier de jonc.

Le lendemain, jour du marché, Ti-Jean conduit son fils Amable au comptoir qui lui était réservé.

"Comme ça, Amable, questionna le père, tu te souviens de tout ce que nous avons dit hier soir?..."

Et comme son fils lui faisait signe de ne pas s'en faire, Ti-Jean posa le vieux panier tressé sous la tablette du comptoir.

Le roi et la reine qui étaient venus au marché soi-disant pour faire des emplettes — mais surtout, comme on peut s'en douter, pour se montrer dans leurs plus belles toilettes — finirent par se rapprocher de l'étal de Ti-Jean, là où Amable vendait les produits jardiniers de ses parents.

"Mais n'est-ce pas, Amable, le plus jeune fils de Ti-Jean? . . . dit le roi à la reine, tout bas. J'ai entendu dire que ce petit-là n'était pas bien brillant . . . que c'était franchement un enfant inintelligent! . . . Ha! ha! je te le dis, ma femme, nous ne payerons pas cher les légumes que nous allons acheter de Ti-Jean! . . ."

Le roi s'approche donc en maugréant jusqu'au kiosque de Ti-Jean.

"Hé! petit, tu oses vendre à si fort

prix des légumes et des fruits aussi mo-
lasses et rabougris...? Oh!... Mais
qu'est-ce que c'est que ce panier que tu
dissimules sous le comptoir près de tes
pieds?...

— Ah ça... C'est un Crache-l'or que
mon père a rangé là, en disant bien qu'on
ne le touche pas!

— ... Un Crache-l'or...? Mais qu'est-
ce que c'est que cela?

— Je ne sais pas trop, Majesté!... J'ai
entendu dire que c'était une curiosité in-
connue qui donnait de l'or à chaque fois
qu'on frappe dessus... Y paraît qu'on
n'a qu'à entrouvrir le couvercle du panier
et taper avec une baguette de merisier
pour qu'alors, le Crache-l'or lance plein
d'écus aussi vrais que ceux qui ont votre
portrait dessus!

— Intéressant, intéressant, mon enfant
. . . coupa le roi en toussotant. J'achète
ton petit Crache-l'or contre deux belles
grosses pièces d'argent! N'est-ce pas là
un marché fort tentant?

— Mais . . . Mais je ne peux pas, Sire le
roi! . . . Je ne sais pas ce que mon père
trouverait à dire de cela . . .?

— Écoute, petit, reprit le roi. Nous
sommes dans un marché, tout ce qui est
ici est à vendre, n'est-ce pas? . . . Si ton
Crache-l'or est ici, c'est pour qu'on puis-
se l'acheter. Fais ton prix, garnement, ou
je vais me fâcher!

— C'est bien, c'est bien, Votre Majesté!
Je vais vous le céder, ne vous emportez
pas! . . . Cependant il faut que je vous en
demande un gros prix parce que si le
Crache-l'or fait de l'or, c'est qu'il vaut
très cher!

— Combien, chenapan? . . .

— Au moins . . . au moins . . . quatre grosses bourses de pièces d'or remplies à ras bords! Et si mon prix n'est pas à votre agrément, alors attendez pour marchander avec mon père Ti-Jean!''

Le roi s'éloigna un moment à l'écart pour parlementer avec sa femme, la reine, loin des regards de l'enfant . . .

"Ouais . . . c'est une vraie fortune qu'il me demande là, murmura le roi. Mais mon avis, c'est qu'il vaut mieux payer le prix quand passe la chance . . . Avec ce Crache-l'or nous aurons de quoi rentrer dans nos dépenses! . . . Ha! ha! Ti-Jean va se mordre les doigts lorsqu'il va apprendre que son fils nous a laissé partir avec une merveille comme celle-là! . . .''

Puis, revenant aussitôt vers le petit Amable en ouvrant les pans de son grand manteau de cuir véritable, le roi s'écria:

"C'est d'accord, mon bonhomme! Nous achetons ton Crache-l'or quatre bonnes bourses d'or, et voilà la somme!"

Les deux époux courent vite au château avec le Crache-l'or sous le bras, tandis que Ti-Jean sort de derrière une vieille caisse de bois.

"Bravo fiston! Maintenant leur compte est bon!"

Parvenus au palais, le roi et la reine font s'éloigner servantes et laquais, car la reine ne veut pas que l'on découvre le nouveau secret.

Le roi et la reine s'enferment ensuite

dans le grand salon de réception. Le roi pose le Crache-l'or sur le tapis de Turquie et entrouvre le couvercle du panier, tandis que la reine se met à frapper avec une branche de merisier.

Dans sa maladresse, la pauvre femme vise à côté... mais elle alerte quand même une guêpe vengeresse qui sort du nid pour la piquer!

"AÏE! crie la reine. J'ai manqué mon coup! J'ai failli accrocher mon beau cendrier, et voilà qu'en plus de cela, ce gros moustique me pique! Essaie donc, plutôt toi, mon mari!... Aujourd'hui, ce n'est vraiment pas ma journée; si je continue je vais tout démantibuler!

— Passe-moi le bâton, ma femme, je vais faire baver à ce Crache-l'or toutes les pièces qu'il a à cracher!"

Mais, pendant que le roi s'apprêtait à frapper sur le nid de guêpes rangé au fond du panier, une des servantes nommée Agnès s'approcha avec précaution, pour écouter à la grande porte du salon.

Le roi fit tomber raide la grosse branche en plein milieu du panier. Un grondement sourd se mit alors à monter... Puis, dans un déchaînement monstrueux, un essaim de guêpes en furie sortit du panier mystérieux.

Et BIZZ! BIZZ! BIZZ!... Les guêpes tournent autour des deux époux hagards et fondent sur eux en pointant leur dard.

Et pique un genou, une hanche, une fesse! La ronde recommence toujours et n'a plus de cesse!... AÏE! AÏE!... La reine crie comme une vraie perdue, elle en fait trembler toutes les lampes de l'étage. La servante Agnès, tout émue, mais n'écoutant que son courage, force la serrure et ouvre la porte à grande vitesse . . .

L'essaim de guêpes s'engouffre alors par la fenêtre ouverte du corridor, et file en grondant jusqu'au dehors.

Le roi sort à quatre pattes du salon, tandis que la reine, le visage tout bouffi, marche à tâtons.

"Crache-l'or de malheur! Un peu plus et on était tous morts!

— Attends un peu, ma femme! Je retourne au salon voir si les guêpes n'auraient pas laissé derrière elles quelques pièces d'or! . . .

— Ne cherche pas d'or ni d'argent! . . .

Cherche plutôt tes bosses, gros inno-
cent! . . . Oui! Eh bien, que le vent
m'emporte, moi, si ce coup-là, ce n'est
pas encore un tour de Ti-Jean!"

À ce moment précis, le volet de la
fenêtre se referma brusquement dans un
coup de vent, mais n'emporta pas la
reine qui resta là, vociférant.

La substitution

BOUM! BOUM! ... Un soir d'orage au salon du château royal, la reine cogna sur sa table de cristal. CRAC! La vitre en son milieu se fêla, et le tonnerre au même instant frappa: BOUM! BOUM!

"Ha! ha! L'heure de la vengeance a sonné! hurla la reine en gonflant son corsage. Maintenant, ce Ti-Jean de malheur va payer! Oui! Il va payer pour tous ses outrages, pour ses fourberies de truand, qui ont englouti tant de notre argent! Ha! ha! ... En faisant nos comptes aujourd'hui, j'ai constaté qu'il ne nous a pas payé son loyer depuis plus de deux ans et demi ... Cette fois, mon mari, c'est la loi qui le met à notre merci! Ha!

Ha! Ti-Jean aura finalement sa leçon!...
Tu le conduiras dès l'aube à la prison du
canton, et j'espère qu'il y restera pour de
bon!

— Tu es bien sûre de ton affaire, la
mère?... s'enquit le roi, peu enclin à
s'attaquer à son rusé voisin.

— Sûre de mon affaire!... Plutôt deux
fois qu'une! répondit la reine en tendant
une pile de feuilles brunes. J'ai ici toutes
les créances que Ti-Jean n'a pas voulu
payer. Avec ces papiers, notre larron est
bon pour la prison pendant vingt ans, s'il
ne goûte pas aussi au fouet en guise de
complément à sa sentence! De plus,
écoute-moi bien: nous pourrons en profiter de notre côté pour nous emparer de
son troupeau et saisir ses biens! Ha! ha!
Et pour le reste, enfin, nous serons
débarrassés à jamais de cette peste de
voisin!"

100

BOUM! BOUM! . . . Le lendemain matin au soleil levant, le roi, entouré de sa garde, cogne à la mansarde de Ti-Jean.

"Allez! Allez! Ouvrez, mécréants! . . . Je suis venu au nom de la loi, arrêter le dénommé Ti-Jean!"

Ti-Jean, tout en émoi, ouvre la porte et demande que lui veut son roi.

"Ça fait plus de deux ans, Ti-Jean, que tu n'as pas payé ton loyer et nous avons en main tous les papiers pour t'accuser. Tu entres sans broncher dans ce fourgon à bestiaux, et je te conduis aujourd'hui jusqu'à la prison, pour te livrer à la justice du prévôt!"

Ti-Jean, se sentant cerné, n'ose même pas résister.

"Là, Majesté, vous me prenez au dé-
pourvu... Si vous avez toutes les preuves
qui m'accusent, il serait bien vain maintenant que je récuse ... Sire, vous avez
gagné et me voilà perdu!"

"Pauvre Ti-Jean!..." murmurait sa
femme en le voyant s'éloigner. "Ça devait bien arriver un jour ... On ne peut
pas gagner à tous les détours, même
quand on s'appelle Ti-Jean-joueur-de-
tours..."

Mais avant qu'on l'attache dans le
fond du fourgon, Ti-Jean supplia le roi
avec émotion:

"Puisque je me suis rendu à vous sans
rouspéter, m'accorderez-vous, Majesté,
la dernière volonté du vaincu?...

— Dis donc toujours, prisonnier! Sait-
on jamais ce qui peut arriver?...

102

— Faites-moi donc plaisir, Sire . . . Sur le chemin qui me conduira au cachot, arrêtez-vous donc à chaque auberge pour boire un bon pot. Ce sera plus rigolo pour moi d'aller en prison en entendant fredonner des chansons!

— Faveur accordée! répondit le roi à son prisonnier. Je peux bien fêter à mon goût puisque je te mène sous les verrous! Ha, ha! . . ."

Finalement, le dernier souhait de Ti-Jean fut réalisé plus fortement encore qu'il n'avait pu l'espérer. À la dernière auberge qui menait à la prison, le roi et son équipage roulaient sous les tables du bar-salon. Ils étaient gris comme des pinsons, pour ne pas dire noirs comme des cochons! . . .

C'était, pour Ti-Jean, le moment propice de tenter une action pour attirer vers lui l'attention des gens de la maison ... Sur la paroi du fourgon, il frappa deux bons coups avec l'un de ses talons: BOUM! BOUM!

L'un des sommeliers, en effet, entendit le bruit et s'approcha pour voir ce qu'il y avait là. En s'avançant vers le chariot, il put entendre l'écho de Ti-Jean:

"Holà! garçon, venez délivrer un pauvre paysan que son roi veut forcer à marier sans son consentement!

— Comment? ... s'écrie le valet. Ce roi que voilà voudrait vous unir à une bergère qui ne saurait pas vous plaire?...

— Hum! Hum! Vous y êtes à peu près! reprend Ti-Jean en dissipant son enrouement. Imaginez-vous donc que ce gros roitelet aimerait que j'épouse sa fille, la princesse Sybille. Elle a beau être riche à millions, elle n'en est pas moins aussi laide qu'un oignon! Et puis moi, l'argent ne m'intéresse pas, je préfère rester pauvre et labourer mon champ de tabac!

— Mais c'est impensable! s'exclame le garçon tout offusqué. Vous refusez de marier une demoiselle en détresse, qui apporterait noblesse et richesse avec elle! Vraiment, monsieur, vous méritez d'être enfermé, car d'autres que vous seraient bien fiers d'en profiter!

— Eh bien, prenez ma place, si la chance vous tente. La princesse Sybille est tellement myope qu'elle ne verra même pas la différence!''

Sur cette dernière confidence, le valet accepte de délivrer Ti-Jean et de prendre la place du prisonnier dans le grand fourgon cadenassé. Il n'a aucun mal à voler les clés du roi, et la substitution se fait sans qu'on ne voit quoi que ce soit. Ti-Jean remet ensuite le trousseau de clés au bon endroit, pour s'enfuir à travers bois.

L'équipage du souverain ayant cuvé quelque peu son vin, le roi commanda à la troupe de reprendre son chemin. Ils arrivèrent pour le souper à la grande prison du comté. Le roi frappa au bureau du prévôt pour déclarer sa plainte et lui confier le prisonnier. Le prévôt reçut froidement ce vulgaire seigneur, qui osait se présenter en titubant à pareille heure.

"Faites vite, mon ami, d'habitude je quitte mon étude à six heures et demie!

— De suite! De suite! bredouilla le roi. J'ai là dans ce fourgon un locataire récalcitrant appelé Ti-Jean, qui n'a pas payé son loyer depuis fort longtemps. Je m'en viens le livrer à votre justice immense, qui j'espère sera sans clémence!"

Mais lorsque les soldats du prévôt entrent dans le fourgon pour s'emparer du mauvais larron, on entend des coups de poing marteler l'armure des gardiens: BOUM! BOUM! puis . . .

"Je ne suis pas Ti-Jean! Je ne suis pas Ti-Jean!"

Le roi, qui veut parer aux dernières ruses de son voisin, se croit malin de murmurer:

"Attention! Cet homme est dangereux, Monseigneur, il va tout tenter pour vous induire en erreur!"

Toutefois, quand le valet est traîné

par la garde dans le bureau du prévôt, le roi est bien obligé d'admettre qu'il ne s'agissait pas de Ti-Jean, et que le pauvre garçon disait vrai.

Le prévôt, lui, est tellement en colère qu'il est obligé d'avaler un grand verre de sa potion pour les nerfs!

"Venez ici, vous! crie-t-il au roi. Savez-vous ce qu'il vous en coûtera pour vous être ri de la Justice et moqué d'un magistrat?

— Non!... fit le roi, inquiété.

— Eh bien, tout l'argent que vous avez sur vous, plus votre gros fourgon. Et ce n'est pas tout, mon cher, puisque vous passez la nuit en prison!"

Et avant que le roi n'ait pu invoquer le

moindre fait qui eût servi à sa défense, le prévôt frappa sur la table avec son maillet, afin de prononcer la sentence: BOUM! BOUM!

Le roi, de son côté, fut si surpris qu'il en tomba deux fois sur le tapis: BOUM! BOUM!

Les vaches
marines

Avec tous ces tours qu'il avait joués au roi, Ti-Jean n'en finissait plus de s'enrichir. Si bien, qu'un beau jour d'été, pour faire plaisir à toute sa maisonnée, Ti-Jean acheta un petit voilier. Le navire n'était pas grand, certes, mais c'était le plus beau et le plus rapide bateau qui soit . . . bien plus beau d'ailleurs que celui du roi. Il fit tant d'effet sur les imaginations, que plusieurs marins du canton disaient que Ti-Jean était près de dépasser en richesse et en biens toute la belle noblesse des environs.

Le roi, fort aigri en voyant le grand succès remporté par Ti-Jean, décida lui-même d'agir au plus pressant:

"Damné de Ti-Jean! se disait-il en regardant le voilier éclatant. Je n'avais plus qu'une fierté, c'était ma goélette; et voilà que ce quêteux se déniche une embarcation encore plus coquette! Vraiment, maintenant je suis la risée de tous mes gens, et la reine a bien raison de me ridiculiser tout le temps . . . Ah! Mais ça ne durera pas toujours ainsi! Je m'en vais lui couler son bateau à ce frais marin de voisin, et ça n'attendra pas demain! Non! . . . J'ai décidé que ça se ferait même plutôt aujourd'hui!"

Sans plus attendre, le roi rentre chez lui chercher quelques outils. Il profite d'une accalmie au port pour s'approcher du voilier de Ti-Jean et pénétrer à son bord. Il a tôt fait ensuite, en bûchant, en limant et en sciant, de saboter le navire irrémédiablement. Mais comme une bonne crapule, le roi veille bien à ce que

tous les torts se dissimulent sous les grée-
ments et les attirails qui encombrent le
bateau de Ti-Jean.

"Ha! ha! fait-il en quittant le beau
voilier blanc. J'aurai enfin ma revanche
finale sur ce vaurien de Ti-Jean. Et ce
sera plus brillant qu'un duel dans les
champs, ce sera un exploit naval, une vic-
toire triomphale! Ha, ha, ha!"

L'après-midi, Ti-Jean et l'une de ses
filles, Renée, partent pour une petite
randonnée au large de la baie. Ils quittent
le port, comme de raison, en prenant les
vents qui les mènent vers l'horizon. Mais
avant de trop s'éloigner du rivage, Renée
cherche un recoin dans le fond du bateau
pour y déposer le panier de provision. En
se penchant dans le fouillis des cordages,
elle constate avec effroi les ravages et
dégâts causés par le roi.

"Regarde, papa! s'écrie-t-elle. La coque a été usée par endroits. Dans quelques minutes, des trous vont apparaître et le voilier va couler!

— Tu as raison, Renée! . . . répond le père, alarmé. Je crois même que le mât a été cisaillé et qu'il est sur le point de se renverser. Vite! Faisons des signes à ce petit bateau là-bas! . . . Je trouverai bien ensuite le moyen de nous venger de ce gros roi, car je suis sûr maintenant que c'est lui qui a fait ça!"

Ti-Jean et sa fille gagnent la barque des pêcheurs, et à la grande surprise des sauveteurs, Ti-Jean ne veut pas faire remorquer son voilier abîmé. Il dit plutôt:

"Non, non, j'ai mon idée . . . Laissez dériver et couler ce bateau. Dans peu de temps, vous verrez, je m'en achèterai un bien plus beau!"

Puis, se tournant vers sa fille:

"Écoute bien, ma grande . . . Avec tes frères et soeurs, nous allons visiter tous les éleveurs du secteur. Voilà ensuite ce que nous allons leur demander . . ."

Le roi, de son côté, observe à la lorgnette le grand large de la baie. Soudain, dans sa lunette, il aperçoit au loin un bateau en difficulté. Il ajuste son appareil, il ne s'est pas trompé: c'est bien le bateau de Ti-Jean qui pique du nez. Un peu plus et il allait manquer ça: le voilier blanc de Ti-Jean qui s'enfonce dans le grand océan! . . .

"Youpi! crie le roi en sautant de joie sur la plage. Maintenant que Ti-Jean est au fond de l'eau avec les coquillages, j'aurai beau jeu de me débarrasser de sa femme et de ses horribles marmots! C'est la reine qui va rire jusqu'à s'édenter quand je vais lui raconter comment le beau navire a chaviré! Ha, ha, ha!"

Les heures passent dans l'euphorie... Le roi est tellement content de la disparition de Ti-Jean, qu'il décide de s'accorder un peu de bon temps. Il ouvre le journal de la semaine et s'étend sur le sable pour se faire dorer la bedaine.

MEU! MEU! MEU! Un meuglement infernal tire le roi de sa torpeur estivale. Et qui ne voit-il pas, au devant d'un régiment de bêtes? Nul autre que Ti-Jean lui-même, sifflant un air de fête!

"MAIS!... Mais ça ne se peut pas...! crie le roi. Dis-moi que ce n'est pas toi! dit-il en s'approchant de Ti-Jean.

— Mais pourquoi tant d'émoi, Sire, n'est-il pas normal que je me promène sur la plage... fût-ce pour montrer à tous, mon nouvel élevage?

— Hum! Que vas-tu chercher là?... Euh... Je ne suis pas si surpris... Euh... Seulement, partout dans le village s'est répandue la nouvelle d'un naufrage où tu aurais péri...

— Où j'aurais péri...? s'enquit Ti-Jean.

— Oui!... Où tu aurais péri au large de la baie, reprit le roi, tout remué.

— Eh bien! vous voyez, Sire, que j'en suis sorti sans dommage. Et sachez qu'il en a été de même pour ma fille, Renée, qui faisait partie aussi du voyage... D'ailleurs, même si mon voilier a coulé, cette équipée m'a rapporté une richesse inespérée!

— Bien oui, Ti-Jean . . . fit le roi intrigué. Tu m'as parlé tantôt d'un nouvel élevage . . . S'agirait-il de cet énorme troupeau que tu conduis justement sur la plage?

— On ne peut rien vous cacher, Majesté! . . . Voici en effet le troupeau que la mer m'a laissé en partage. N'est-ce pas aussi avantageux que bien des héritages?

— QUOI! Tu veux me faire croire que ces belles vaches laitières broutaient tantôt au fond de la mer . . .?

— Oui, oui, absolument! répondit Ti-Jean. Vous voyez bien que je m'en viens du rivage. Ces vaches ne viennent pas d'ailleurs que des fonds du grand large!... Cependant, tout le monde n'a pas la chance de couler avec son bateau pour apprendre l'existence de tels troupeaux!

— Et il y a d'autres troupeaux encore . . . là-bas, au fond de l'eau?

— Beaucoup, mon roi! Mais, moi, avec ma fille Renée, c'est tout ce que j'ai pu ramener.

— Écoute, j'ai un plan . . . lança le roi à l'oreille de Ti-Jean. Tu me conduis là-bas dans ma goélette, et nous partagerons toutes les bêtes que nous repêcherons! . . ."

Ti-Jean accepte l'offre du roi. Il confie à sa fille l'impressionnant troupeau et file jusqu'au large de la baie avec le roi et son bateau.

Arrivé à l'endroit indiqué par Ti-Jean, le roi ancre sa goélette et saute le premier à la découverte . . . Ti-Jean, lui, reste sur le pont. Il remonte l'ancre du fond et s'éloigne de son compagnon.

Le roi, qui remonte à la surface pour prendre une bouffée d'air, voit tout à coup son navire qui s'éloigne en direction des terres.

"Ohé! Ti-Jean. Attends-moi!... C'est peut-être à cause des courants du grand large, mais je n'aperçois pas de troupeau dans ces parages!

— Tu peux toujours te noyer, idiot! Il n'y a jamais eu et il n'y aura jamais de vache d'eau!

— Comment?... Tu m'as encore trompé?

— Et toi, le roi, tu ne m'as pas coulé?... Tant qu'à démolir mon navire, tu aurais pu penser à rapporter ton mouchoir de cachemire, brodé de tes initiales et flanqué de l'emblème royal!...

— Pardonne-moi, Ti-Jean! Sauve-moi! Je te donnerai tout ce que tu voudras!

— Justement, je veux tout! relança Ti-Jean. Je veux ton château, ton domaine, ton argent. Et je te donne après, une semaine pour t'en aller! J'ai pensé à mon affaire et je suis passé en m'en venant chez le notaire. Tu signes les papiers que voilà ou je te laisse sombrer dans la mer!..."

Le roi, on s'en doute, est bien obligé d'accepter ce dernier marché... Mais quand la reine, elle, apprit qu'elle avait tout perdu et qu'elle devait déménager, c'est dans sa soupe qu'elle faillit se noyer!...

On dit depuis dans tout le pays, que le roi et la reine allèrent s'établir dans un autre royaume, où ils devinrent à leur tour les voisins du souverain, cette fois maigre comme un foin. Le roi devint, paraît-il, si malin, que tout le monde là-bas le surnomma Gros-Jean-joueur-de-tours! . . .

TABLE DES MATIÈRES

ACHEVÉ   D'IMPRIMER
EN   AVRIL   1986
SUR LES PRESSES DE
PAYETTE & SIMMS INC.
À SAINT-LAMBERT, P.Q.